Savais-tu?

Les Bousiers

P9-EET-322

Savais-tu?

Les Bousiers

Alain M. Bergeron
Michel Quintin
Sampar

Illustrations de Sampar

ÉDITIONS
MICHEL
QUINTIN

Catalogage avant publication de Bibliothèque et Archives nationales du Québec et Bibliothèque et Archives Canada

Bergeron, Alain M.

Les bousiers

(Savais-tu? ; 58)
Pour enfants de 7 ans et plus.

ISBN 978-2-89435-655-5

1. Bousiers - Ouvrages pour la jeunesse. 2. Bousiers - Ouvrages illustrés - Ouvrages pour la jeunesse. I. Quintin, Michel. II. Sampar. III. Titre. IV. Collection: Bergeron, Alain M. Savais-tu? ; 58.

QL596.S3B47 2013   j595.76'49   C2013-940767-7

Infographie: Marie-Ève Boisvert, Éd. Michel Quintin

Le Conseil des Arts du Canada
The Canada Council for the Arts

SODEC
Québec ⚄

Patrimoine   Canadian
canadien   Heritage

La publication de cet ouvrage a été réalisée grâce au soutien financier du Conseil des Arts du Canada et de la SODEC.

De plus, les Éditions Michel Quintin reconnaissent l'aide financière du gouvernement du Canada par l'entremise du Fonds du livre du Canada pour leurs activités d'édition.

Gouvernement du Québec – Programme de crédit d'impôt pour l'édition de livres – Gestion SODEC

Tous droits de traduction et d'adaptation réservés pour tous les pays. Toute reproduction d'un extrait quelconque de ce livre, par procédé mécanique ou électronique, y compris la microreproduction, est strictement interdite sans l'autorisation écrite de l'éditeur.

ISBN 978-2-89435-655-5
Dépôt légal – Bibliothèque et Archives nationales du Québec, 2013
Dépôt légal – Bibliothèque et Archives Canada, 2013

© Copyright 2013

Éditions Michel Quintin
4770, rue Foster, Waterloo (Québec)
Canada J0E 2N0
Tél.:   450 539-3774
Téléc.: 450 539-4905
editionsmichelquintin.ca

13 - A G M V - 1

Imprimé au Canada

Savais-tu que les bousiers sont des coléoptères ? Ce groupe se distingue des autres insectes par ses élytres. Cette paire d'ailes antérieures dures et rigides sert d'étui protecteur aux ailes postérieures qui, elles, servent au vol.

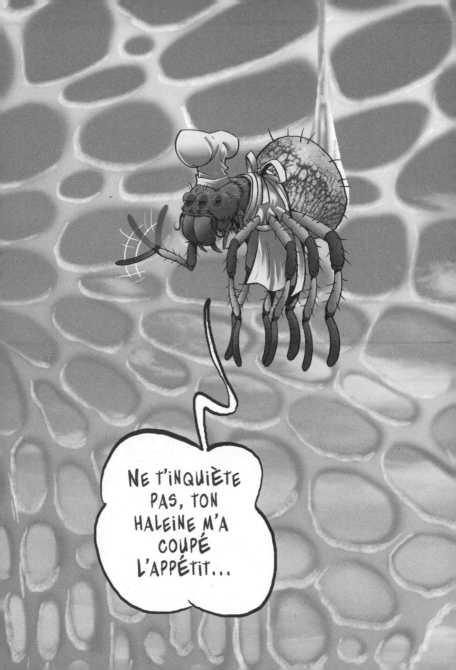

Savais-tu qu'il existe des milliers d'espèces de bousiers dont la grande majorité sont des scarabées?

Savais-tu qu'on trouve des bousiers sur tous les continents sauf en Antarctique? Ils ont des habitats très variés comme les savanes, les terres cultivées, les forêts et les prairies.

Savais-tu que l'insecte le plus fort du monde est un bousier? En effet, le scarabée taureau peut soulever une masse équivalente à 1 140 fois son poids. Pour un homme, cela équivaudrait à soulever 80 tonnes.

Savais-tu que le scarabée sacré était vénéré par les Égyptiens de l'Antiquité? Cet insecte représentait le dieu-soleil sur la terre. Les légionnaires romains ont d'ailleurs adopté cette espèce comme étendard.

Savais-tu que les bousiers sont des insectes coprophages ? Comme leur nom l'indique, ils se nourrissent presque exclusivement de bouse, de crottin ou de tout autre excrément de mammifères.

Savais-tu que les bousiers trouvent généralement leur nourriture grâce à leur odorat très développé? Ils peuvent détecter une odeur à plusieurs kilomètres de distance.

Savais-tu qu'attirés par l'odeur qui s'en dégage, les premiers bousiers arrivent sur les lieux à peine quelques minutes après le dépôt des excréments?

Savais-tu que, d'une espèce à l'autre, les bousiers ont des goûts différents en matière de provenance, de texture et de qualité des excréments?

Savais-tu que les bouses de bovidés représentent la préférence alimentaire de la plupart des espèces?

Savais-tu qu'une bouse fraîche provoque l'arrivée massive de bousiers, entraînant une très forte compétition pour son exploitation ? Une bouse de vache exposée au soleil perd son pouvoir d'attraction en 36 heures.

TKTKTKTK

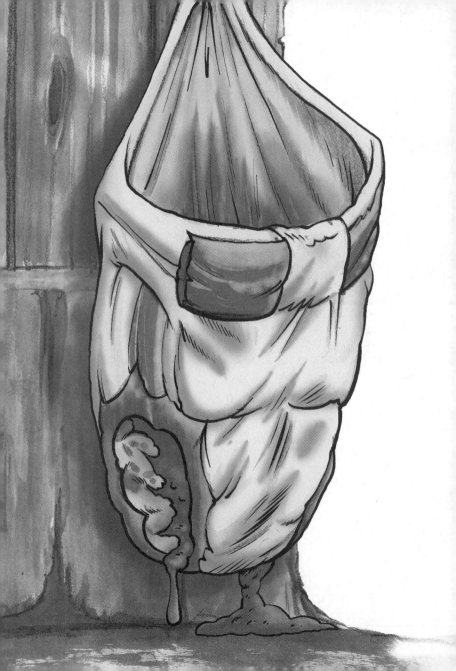

Savais-tu que les adultes ne peuvent manger aucune nourriture solide? Avec leurs mandibules, ils compriment la matière fécale et sucent le jus qui s'en échappe. L'humidité des excréments les dispense de boire.

Savais-tu que la femelle, soucieuse de donner de la nourriture à sa descendance, pond près, sur ou dans des excréments ? Après l'éclosion, les larves auront ainsi de quoi se nourrir.

Savais-tu que les larves se nourrissent des fibres végétales non complètement digérées par les mammifères?

Savais-tu que les espèces de bousiers sont classifiées selon leurs comportements alimentaires? Il y a trois groupes distincts: les résidents, les creuseurs et les rouleurs.

Savais-tu que les résidents regroupent les espèces qui se creusent un nid dans les excréments pour y vivre et s'y nourrir?

Savais-tu que les creuseurs, eux, sont des espèces qui font leurs terriers directement sous un tas d'excréments ou à côté et qui y transportent leur nourriture?

Savais-tu que les rouleurs ne consomment pas les matières fécales sur place? Ils vont plutôt transporter leur nourriture au loin dans des terriers plus ou moins profonds.

Savais-tu que, pour déplacer les excréments, les rouleurs les transforment en petites boulettes avec leurs pattes antérieures et leurs mandibules?

Savais-tu ces pelotes d'excréments peuvent parfois être jusqu'à 50 fois plus grosses qu'eux?

Savais-tu que les bousiers rouleurs ont une tête qui
ressemble à une pelle et que leur corps est parfaitement
adapté à leur type de nourriture? Leurs pattes antérieures

en forme de râteau leur permettent de former des boules d'excréments, et leurs pattes postérieures, de les rouler grâce aux petits crochets dont elles sont pourvues.

Savais-tu que, pendant qu'ils forment leur boule, les bousiers doivent souvent se battre pour défendre leur bien ? En effet, il arrive régulièrement que d'autres bousiers

essaient de s'emparer de leur pelote fécale. L'agresseur est la plupart du temps un autre mâle.

Savais-tu que c'est à reculons que les bousiers roulent leur pelote fécale jusque dans leur terrier?

Savais-tu que ces bousiers semblent programmés pour orienter et déplacer leur boule d'excréments en ligne droite? Et cela, quels que soient les obstacles rencontrés sur leur route.

Savais-tu que les bousiers sont très utiles à l'homme? En creusant leurs galeries et en y transportant les excréments, ils aèrent le sol, facilitent l'infiltration de l'eau, fertilisent la

terre et dispersent les graines contenues dans les matières fécales. De plus, en nettoyant le sol, ils combattent la prolifération des parasites porteurs de maladies.

Savais-tu que, par leurs activités, les bousiers aident à réduire l'émission des gaz à effet de serre ? En effet, l'hémioxyde d'azote émis par le fumier laissé à se

décomposer est un gaz à effet de serre 300 fois plus puissant
que le dioxyde de carbone (CO_2).

Savais-tu que les bousiers sont très importants dans le
processus de décomposition des excréments? Par exemple,
une bouse de vache mise sous cloche prend quatre ans à se

dégrader, alors que sous l'action des bousiers, elle met moins d'un an.

Savais-tu que les bousiers autochtones australiens, spécialisés dans les crottes de marsupiaux, ne recyclent pas les excréments de bovidés? S'ils le faisaient, cela aurait pu éviter la catastrophe écologique provoquée par

l'introduction de bovins domestiques en Australie.
Ces derniers produisaient alors de 350 à 450 millions
de bouses quotidiennement.

Savais-tu qu'à la suite de ces événements, des entomologistes ont importé en Australie des bousiers experts en bouse de vache? Grâce à cette introduction,

qui a commencé en 1960 et qui a duré 15 ans, ils ont pu rétablirent l'équilibre et sauver les prairies australiennes.

Ce livre a été imprimé sur du papier contenant 100 %
de fibres recyclées postconsommation, certifié Écolo-Logo
et Procédé sans chlore et fabriqué à partir d'énergie biogaz.